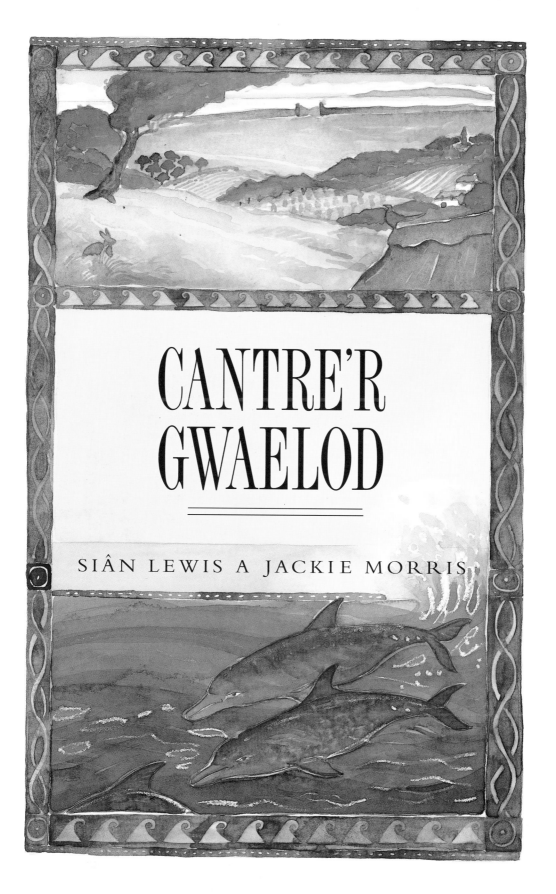

CANTRE'R GWAELOD

SIÂN LEWIS A JACKIE MORRIS

Safai bachgen ar y clogwyn yn gwrando ar gri yn y gwynt. Chlywodd e mo'r Brenin Gwyddno yn marchogaeth tuag ato. Ffrwynodd Gwyddno'i geffyl a gwylio'r dieithryn â gwên. Does ryfedd fod y bachgen wedi ei swyno, meddyliodd. Caiff pob teithiwr blin ei swyno gan gyfoeth Cantre'r Gwaelod, fy ngwlad brydferth i sy'n ymestyn o odre'r graig tuag at y gorwel.

'Fachgen,' meddai'r brenin o'r diwedd, 'o ble doist ti?'

'Fe ddois i o 'ngwely,' sibrydodd y bachgen. 'Fe glywais i gri ac fe'i dilynais.'

'Chlywais i ddim byd,' meddai'r brenin. 'A pham wyt ti'n sefyll mor syfrdan? Beth wyt ti'n weld?'

Tynnodd y bachgen ei law dros ei wyneb.

'Traethau aur,' atebodd.

Edrychodd y brenin yn syn.

'A rhesi o gregyn arian.'

'Beth arall?' gofynnodd y brenin.

'Pysgod,' meddai'r bachgen. 'Pysgod amryliw yn nofio yn y môr.'

Syllodd y brenin dros ymyl y clogwyn. Islaw gwelai diroedd ffrwythlon Cantre'r Gwaelod.

'Môr, wir!' A chwarddodd wrth neidio oddi ar gefn ei geffyl gwinau. 'Mae'n rhaid mai bardd wyt ti. Mae beirdd bob amser yn nyddu breuddwydion. Edrych di eto a gwranda arna i.'

2

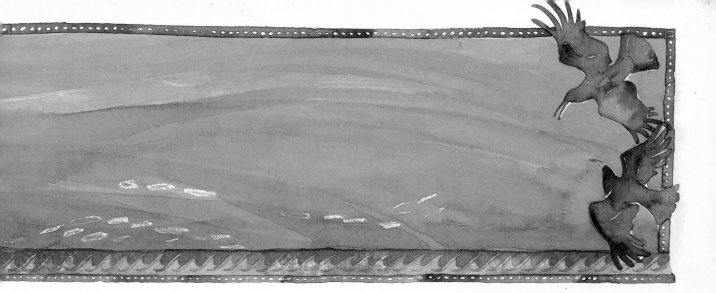

Torsythodd y brenin ac estynnodd ei fraich dros ddinasoedd yr iseldir.

'Wrth odre'r graig hon mae fy ngwlad i—Cantre'r Gwaelod. Ym Mhrydain gyfan does 'na 'run wlad debyg iddi.

Edrych! Ei chaeau'n llawn o ŷd yw'r traethau welaist ti.

Tyrau yn pefrio yn yr haul yw'r cregyn arian.

A'r pysgod yw fy mhobl yn eu gwisgoedd lliwgar yn canu a dawnsio yn y stryd.

Nawr . . .' Pwysodd y brenin ei ddwylo ar lygaid y bachgen. 'Anghofia dy freuddwydion,' meddai. 'Does dim angen breuddwydion yng Nghantre'r Gwaelod.'

'Ond beth am y môr?' meddai'r plentyn mewn penbleth. 'Er bod dy freichiau amdana i, rwy'n ei glywed e'n suo.'

'Y gwenyn sy'n suo ym mherllannau Cantre'r Gwaelod,' meddai'r brenin.

'Mae'r môr yn hisian,' meddai'r plentyn.

'Y gwin sy'n hisian yn y selerau.'

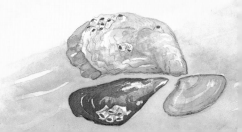

'Ond mae'r tonnau'n griddfan,' meddai'r plentyn.

'Y ceirt sy'n griddfan,' chwarddodd y brenin gan ollwng ei afael.
'Weli di nhw'n ymlusgo fel morgrug llwythog o'r gogledd, o'r
dwyrain ac o'r de? Maen nhw'n cario bwyd i'n gwledd ni heno.'
Edrychodd ar wyneb dwys y plentyn. 'Dere,' meddai'n dosturiol.
'Fe gei dithau ddod i'r wledd. Mae angen bardd newydd i ganu i ni.'

4

Cododd Gwyddno'r bachgen yn ei freichiau a'i roi ar gefn ei geffyl. Neidiodd yntau i'r cyfrwy â'i fantell yn chwifio yn y gwynt. Ar unwaith carlamodd y ceffyl yn sionc tuag at y llwybr a arweiniai i Gantre'r Gwaelod.

Yng nghysgod y graig gostegodd y gwynt. Suai awel gynnes dros diroedd breision Cantre'r Gwaelod. Plygai'r coed dan bwysau'r ffrwyth. Wrth i'r ceffyl garlamu rhwng y perllannau a'r caeau ŷd, penliniodd y bachgen ar ei gefn a syllu dros ysgwyddau'r brenin.

'Welaist ti 'rioed y fath gnydau?' holodd y brenin.

'Naddo, erioed,' meddai'r bachgen.

'Afal!' galwodd y brenin. 'Afal i'r bardd.'

Yn y berllan plyciodd merch ifanc afal coch o'i ffedog a'i daflu'n uchel i'r awyr. Disgynnodd i law'r bachgen ac ochneidiodd yntau mewn rhyfeddod wrth ei gnoi.

'Sut flas sy arno?' gofynnodd y brenin.

'Mmm! Blas yr haul,' meddai'r bachgen. 'Blas cawod gynnes, blas mêl . . .'

'A holl felyster Cantre'r Gwaelod,' meddai'r brenin yn falch.

Sbardunodd ei geffyl drwy ddinasoedd ei wlad. Ym mhob dinas mynnai'r bobl wthio danteithion i law'r plentyn gwelw a deithiai gyda'r brenin. Blasodd y bachgen rawnwin fwy eu maint nag eirin, cig melys, bara a doddai ar ei wefus a drachtiau hir o fedd. Suddodd ei ben ar ysgwydd Gwyddno.

'Pam maen nhw'n rhoi gymaint?' sibrydodd yn ei glust.

'Am fod ganddyn nhw ddigon i'w roi,' meddai'r brenin. 'Yn y wlad hon weli di 'run wyneb llwyd, 'run llaw ddolurus, 'run cefn crwm. Mae'r ddaear yn ein bwydo. A heno fe gei di dy fwydo gan Seithenyn, arglwydd haelioni, stiward Cantre'r Gwaelod.'

Caeodd y bachgen ei lygaid a gwrando'n gysglyd ar garnau'r ceffyl yn boddi sisial pell y tonnau. Ond cyn i'r sŵn ddistewi'n llwyr, gwaeddodd y brenin yn groch. Gwichiai cert ar draws eu llwybr. Rhusiodd y ceffyl mewn braw a chrafangodd y plentyn am wregys Gwyddno. Chwythodd mantell y brenin drosto. Trwy blygiadau'r defnydd clywodd lais yn bloeddio ar y certiwr: 'Hoi! Symuda o ffordd y brenin.'

Gafaelodd llaw gadarn yn ffrwyn y ceffyl a daeth y
llais yn nes.

'F'arglwydd,' meddai. 'Pam ddoist ti mor gynnar?'

'Fe ddois i â bardd newydd i ti, Seithenyn,' chwarddodd
Gwyddno.

Cododd ei glogyn a gwelodd y bachgen wyneb llyfn fel lledr
drudfawr, barf ewynnog a llygaid direidus yn troi uwch ei ben.

'Bardd bach iawn,' chwarddodd Seithenyn.

'Bach o ran maint, ond mawr ei ddychymyg,' meddai'r brenin.
'Mae e'n gweld yr anweledig.'

9

'Ydi e wir?' meddai'r stiward gan gipio'r bachgen o gefn y ceffyl a'i chwyrlïo nes bod afalau'n disgyn o'r ceirt ac yn rholio dros y llawr. 'Rwyt ti'n gweld gormod 'te. Does dim angen dychymyg yng Nghantre'r Gwaelod. Edrych di mor braf yw hi yma a chana fel hyn.' Gwasgodd ei drwyn gan lafar ganu:

Hyfryd gantre sydd ar isel fan.
Cyfoeth a phleserau ddaw i'th ran
Yma, lle mae'r gwin . . .'

'Seithenyn,' chwarddodd y brenin. 'Rhaid cael llais os nad dychymyg. Gad y canu i'r beirdd.'

'O'r gore,' gwenodd Seithenyn. 'Fe gaiff y bardd ifanc ganu yn fy lle.'

'Gofala amdano,' meddai'r brenin gan fwytho gwddw'r ceffyl a symudai'n anniddig rhwng y ceirt swnllyd. 'Fe fydd e'n canu heno yn y wledd.'

'Bydd siŵr,' meddai'r stiward.

Tynnodd y bachgen o'r neilltu wrth i garnau'r ceffyl fflachio uwch eu pennau. Trodd y brenin tua'r dwyrain a charlamodd i ffwrdd.

Ar ôl i'r brenin fynd o'r golwg plyciodd Seithenyn rawnwinen dew a'i dal rhwng bys a bawd.

'Agor dy geg a gad i hon felysu dy dafod,' meddai. 'Rwyt ti'n dipyn o fardd 'te?'

Sugnodd y bachgen y sudd ac ysgydwodd ei ben.

'Na?' meddai Seithenyn. 'Wel, dwed wrtha i pam mae'r brenin yn dy alw di'n fardd?'

'Am 'mod i wedi edrych dros y clogwyn a gweld y môr.'

'Beth?' Chwythodd sŵn chwerthin Seithenyn dros y sgwâr nes i'r ychen grynu a'r ceffylau strancio. 'Glywsoch chi hynna?' gwaeddodd y stiward. 'Mae'r bachgen 'ma wedi sefyll ar greigiau'r tir mawr a gweld y môr.'

'Rhaid bod gen ti lygad barcut,' galwodd gwraig fochgoch â llestr o win yn ei llaw.

'Fe glywais i'r môr hefyd,' meddai'r bachgen.

'Rhaid bod gen ti glustiau ci 'te,' meddai certiwr gyda phroc direidus.

'Yng Nghantre'r Gwaelod,' meddai Seithenyn, gan gipio darn o gig eidion o afael y certiwr a'i rwygo â'i ddannedd, 'rydyn ni wedi corlannu'r môr. A dyna lle mae e'n cripio a chwyno.'

'Rwy'n clywed ei sŵn e!' meddai'r bachgen.

'Na,' chwarddodd Seithenyn. 'Sŵn pibau'r cerddorion sy yn dy glustiau di. Heno fe fyddwn ni'n dawnsio, ti a fi.' Ar y gair sgipiodd corff trwm Seithenyn ar draws y sgwâr gan ysgwyd afalau a gellyg i'r llawr.

Arhosodd y bachgen yn ei unfan a gwrando. Clywai leisiau llon y certwyr, siffrwd anniddig yr anifeiliaid a gwichian y troliau llwythog. O'r pellter dôi sŵn tannau telyn a lleisiau main yn canu. Ond ymhellach fyth, o gyrion Cantre'r Gwaelod, clywai gripian dirgel ac ubain trist.

Edrychodd y bachgen ar brysurdeb y sgwâr o'i gwmpas. Cariai'r certwyr eu sachau at ddrws neuadd Seithenyn. Crwydrai pobl y ddinas rhwng y troliau gan glebran a blasu'r grawnwin. Wrth y ffynnon safai uchelwr, â'i law ar garn ei gledd, yn edmygu'i lun yn y dŵr. Yn ei ymyl sibrydai Seithenyn yng nghlust merch ifanc dlos â gwallt modrwyog.

'Hwn yw'n bardd bach ni,' meddai. 'Tra bydda i'n paratoi at y wledd, fe aiff Mererid â thi i olwg y môr. Er cofia, Mererid, does arno fe ddim angen dy help di. Mae e wedi gweld a chlywed y môr yn barod.'

'Fe a' i â thi â phleser,' meddai'r ferch gan estyn ei llaw. Gafaelodd y bachgen yn ei bysedd a'u gollwng ar unwaith.

'O!' llefodd Seithenyn a'i lygaid yn troi yn ei ben. 'Nawr mae e'n teimlo'r heli ar dy ddwylo di, Mererid. Beth nesa?'

'Paid â'i bryfocio,' gwenodd Mererid. 'Mae e'n gwybod yn iawn mai halen y cig sy ar fy nwylo i. 'Drycha. Fe gymera i liain a'i sychu i ffwrdd.'

Cipiodd liain o fasged fara. Sychodd gledrau ei dwylo ac yna bob un o'i bysedd yn ofalus. Ond pan gydiodd y bachgen yn ei llaw am yr eildro, gallai deimlo'r halen o hyd. Dilynodd wrth ei sodlau drwy strydoedd prysur Cantre'r Gwaelod gan wylio'r haul yn chwarae ar donnau ei gwallt.

Tua'r gorllewin, ar gyrion y ddinas, siglai hwylbrennau llongau dros y toeau nes llithro o'r golwg y tu ôl i wal fawr a godai fel craig o'i gwely tywod. Tynnodd Mererid y bachgen i'r cysgod wrth odre'r wal a gwasgu ei law ar y garreg.

'Teimla'i chryfder,' meddai. 'Does 'na 'run wal mor gadarn â hon. Hi sy'n gwarchod Cantre'r Gwaelod rhag y môr.'

Llusgodd y bachgen ei fysedd dros y cerrig nes cyrraedd llifddor dderw gref. Curodd Mererid ei dwylo a daeth gwyliwr i'r golwg ar y mur a'i gefn tuag at yr haul.

'Mae Seithenyn yn gorchymyn i ti agor y llifddor,' galwodd.

Ar unwaith atseiniodd cloch dros ddinasoedd Cantre'r Gwaelod. Gan rincian a thuchan agorodd y llifddor a rhuthrodd gwynt y môr drwy'r agen. Cuddiodd y bachgen ei lygaid rhag y gwynt.

'Agor dy lygaid wir!' meddai Mererid. 'Edrych mor ddof yw'r môr, mor dawel ag oen.'

Syllodd y bachgen drwy'i fysedd ar draeth caregog. Y tu hwnt i'r traeth gorweddai'r môr sidanaidd yn siglo'r llongau yn y bae.

'Os yw'r môr mor ddof, pam mae angen wal?' gofynnodd.

'Rhag ofn iddo droi'n flaidd a rhuthro dros y traeth i'n llarpio ar lanw uchel,' gwenodd Mererid. 'Mae tiroedd Cantre'r Gwaelod yn is na'r môr, ond paid ag ofni. Heno bydd Seithenyn yn gorchymyn i'r gwylwyr gau y llifddor a byddwn ninnau'n ddiogel fel arfer.'

Yn y pellter canodd cloch arall a byrlymodd afon gref ar hyd y llwybr drwy'r pridd. Llifodd drwy'r bwlch a thros y traeth tuag at y môr.

'On'd ydyn ni'n garedig i'r môr?' meddai Mererid yn llon. 'Rydyn ni'n cronni'r afonydd er mwyn iddo gael diod o ddŵr.'

'Ond beth os oes newyn ar y môr?' sibrydodd y bachgen.

'Fe gaiff e sugno esgyrn morwyr marw,' meddai Mererid. 'Nawr, anghofia am y môr.' Chwythodd ei wallt o'i lygaid. 'Heno rwyt ti'n canu yn y wledd. Beth fydd testun dy gân di?'

Arhosodd am eiliad cyn tynnu ei llaw dros ei foch.

'Beth? Dim ateb? A thithau'n fardd.'

'Fues i 'rioed yn fardd,' meddai'r bachgen yn swil, 'ond fe glywais i gri yn fy nghlustiau ac fe welais fôr ar dir sych.'

'O, druan bach!' meddai Mererid. 'Fedri di ddim canu am bethau felly. Beth am ganu amdana i, am Gwyddno, y doethaf o frenhinoedd, ac am Seithenyn hael? Wnei di?'

Gwenodd y bachgen.

'Gwnei, wrth gwrs,' meddai Mererid yn dirion. 'Rho di hyn ar gân, fardd bach, a thrwyddot ti fe fydd ein plant a phlant ein plant yn cofio am y gwledda fu yng Nghantre'r Gwaelod.'

Gwridodd y bachgen. Roedd geiriau Mererid yn fêl i'w fysedd. Fe roddai'r byd am ganu am ei harddwch, am firi Seithenyn a charedigrwydd Gwyddno ond mynnai cân wahanol suo yn ei glust. Wrth gerdded drwy'r strydoedd gyda Mererid gwelai'r cerddorion yn canu a'r bobl yn dawnsio. Aroglai bersawr ffrwyth a blodyn, cig eidion a gwin. Canai'r beirdd glodydd y rhain i gyd.

'Cadwa'r caneuon yn dy gof,' meddai Mererid wrth i'r miwsig ddistewi ac i'r beirdd ymlwybro tuag at y neuadd fawr.

'Gwnaf,' meddai'r bachgen, ond clywai'r môr yn hisian yn y grib a dynnai Mererid drwy ei wallt.

'Nawr rwyt ti'n fardd golygus ac fe fydd yn fraint dy gael di'n gwmni,' meddai Mererid. 'Gad i fi gydio yn dy fraich. Edrych ar yr haul yn gwenu arnon ni.'

Pwysai'r haul ar furiau Cantre'r Gwaelod. Disgleiriai ar y rubanau aur a blethai Mererid yn ei gwallt. Aeth o'u blaen i neuadd Seithenyn gan lithro drwy'r ffenestri uchel a thrywanu'r cysgodion mwll. Yn y goleuni myglyd trodd pob pen yn benglog a phob dysgl aur yn bysgodyn byw.

Oedodd y bachgen wrth y drws.

'Paid ag ofni,' meddai Mererid. 'Fe ddaw cân i'th wefus yn y man. Fedri di ddim peidio â chanu yng Nghantre'r Gwaelod.'

'Fardd!' atseiniodd llais Seithenyn. 'Dere i'n diddanu.'

Ar y bwrdd o flaen y stiward roedd gwledd o fwydydd gorau Cantre'r Gwaelod. Cerddodd y bachgen tuag ato a thaflodd Seithenyn ei fraich am ei war.

'Dyma'n bardd newydd ni,' cyhoeddodd yn llon. 'Heno bydd y plentyn hwn â'i wyneb dwys yn canu clodydd Cantre'r Gwaelod.'

Cododd y gwesteion eu cwpanau gwin.

'Cofia ganu am haelioni ein harglwydd Seithenyn,' galwodd un.

'Ac am ein brenin Gwyddno, ddoeth a nerthol,' meddai Seithenyn gan ei wasgu'n dynnach. 'Beth amdani? Dwed rywbeth.'

Ag arogl gwin Seithenyn yn ei ffroenau, agorodd y bachgen ei geg a chlywodd ei lais ei hun yn dod o bell fel siffrwd y gwynt.

'Wedi balchder daw cwymp,' meddai a chnodd ei wefus mewn braw.

Ond chwerthin wnaeth Seithenyn a rholio'i lygaid yn ei ben.

'Wedi balchder daw cwymp!' ebychodd. 'Pa fath o gân yw hon? Sut gallwn ni gwympo? Does 'na unman i gwympo. Yng Nghantre'r Gwaelod rydyn ni'n is na'r môr. Eistedda nawr a bwyta. Bwyta a bwyta, a bwyta dy wala.'

Plygodd y bachgen ei ben. Daeth y llais am yr eildro.

'Wedi gormodedd daw eisiau,' sibrydodd.

Estynnodd Seithenyn am ei gwpan. Llanwodd ei geg nes i'r gwin ffrydio drwy ei farf a disgyn yn ddafnau cochion ar y ford.

'Wedi gormodedd daw mwy o ormodedd, ddweda i! Llanwa'r cwpan!'

Cododd y bachgen y llestr ac arllwysodd y gwin â llaw grynedig. Roedd y twrw yn y neuadd yn ei ddychryn a'r awel fain a sleifiai drwy'r ffenestri i sugno anadl dynion. Cipiodd Seithenyn y cwpan a'i ddrachtio.

'Un arall eto!' gwaeddodd y gwesteion.

Gwasgodd y bachgen y llestr yn dynn.

'Fachgen!' chwarddodd Seithenyn. 'Rwyt ti'n ofnus a chrintachlyd fel pob dieithryn. Yng Nghantre'r Gwaelod rydyn ni ar ben ein digon. Mae'r ddaear yn garedig. Mwynha dy hun. A phaid ag edrych mor sur. Dyw surni ddim yn gweddu i fardd. Gwrandawa.'

Brasgamai Gwyddno i'r neuadd yng nghwmni cerddorion ei lys.

'Gwyddno, brenin y cantref euraid,' canai un.

'Dewr mewn brwydr, rhyfelwr mawr ei fri,' canai un arall. 'Fe ddofodd y ddaear a thawelu'r moroedd mawr.'

'Dyna sut mae canu,' sibrydodd Seithenyn. 'Cana dithau ganeuon Cantre'r Gwaelod.' Cipiodd y stiward y llestr gwin, llanwodd ei gwpan a chododd yn drwsgl ar ei draed. 'Hir oes i'r Brenin Gwyddno!' gwaeddodd. 'Hir oes i frenin Cantre'r Gwaelod.'

'Hir oes i Gwyddno Garanhir,' ategodd y gwesteion gan godi eu cwpanau.

Ond syllai'r bachgen ar y llawr.

'Mererid,' meddai'n sydyn. 'Mae 'nhraed i'n wlyb!'

'Dyna ti,' gwenodd Mererid. 'Rwyt ti'n golchi dy draed yng ngwinoedd Cantre'r Gwaelod.'

Estynnodd y bachgen ei law tuag at y ddaear a'i blasu.

'Ond mae'r dŵr yn hallt! Dyw gwin ddim yn hallt.'

'Halen y cig sydd ynddo,' sibrydodd Mererid gan wasgu ei bys ar ei wefus. 'Mae'n prif-fardd yn barod i ganu. Bydd dawel nawr. Mae pawb yn gwrando.'

'Na!' Gwingodd y bachgen o'i gafael. Drwy'r ffenestri dôi ubain newynog y môr. 'Mererid!' llefodd. 'Pwy aeth i gau'r llifddor?'

'Seithenyn . . .'

'Ond adawodd Seithenyn mo'r neuadd. Ac edrych! Mae ewyn y tonnau yn chwythu heibio i'r drws.'

Ochneidiodd Mererid. 'Petalau blodau'r hydref sy'n chwythu yn y gwynt,' meddai yn ei glust, wrth i sŵn chwyrnu Seithenyn yrru cryndod drwy'r ford. Gorweddai'r stiward â'i ben ar ei ddysgl a'r gwin yn diferu o'i farf. 'Nawr gwrandawa ar y bardd. Os gwrandewi di'n astud tan ddiwedd y gân, fe a' i â thi at y llifddor. Rwy'n addo.'

Gwasgodd y bachgen ei wefusau'n dynn. Canai'r bardd am gyfoeth a phleserau y tu hwnt i ddychymyg pawb ond trigolion Cantre'r Gwaelod. O'i gwmpas gwenai eu hwynebau bodlon. Doedd gan neb glustiau i glywed sgrech y gwynt. Cyn gynted ag y daeth y gân i ben, gafaelodd y bachgen yn llaw Mererid a'i llusgo at y drws. Ond galwodd Gwyddno.

'Fardd bach! Daeth dy gyfle i ganu.'

Tynnodd Mererid ei llaw yn rhydd.

'Cer,' meddai. 'Mae'r brenin yn galw. Fe a' i at y llifddor, fel yr addewais i.'

Camodd yn ysgafn at y drws. Oedodd am foment wrth i'r gwynt afael yn ei gwallt a'i rwygo o'i rubanau. Yna diflannodd gan adael dim ond ruban aur yn chwythu drwy lwydni'r nos.

Teimlai'r bachgen y ddaear yn meddalu dan ei draed. Yn araf cerddodd rhwng y meinciau a'r coesau swrth nes cyrraedd gorsedd y Brenin Gwyddno dan y ffenestri tywyll. Trodd i wynebu'r dorf, ond cyn iddo agor ei wefusau rhwygwyd y neuadd gan gri arswydus, ingol. Chwipiwyd y gri drwy'r ffenestri ar adain y gwynt.

Neidiodd Gwyddno ar ei draed.

'Fachgen,' chwyrnodd. 'Beth yw ystyr hyn?'

'Dyna'r gri,' llefodd y bachgen. 'Cri Mererid. Nawr rwyt ti'n ei chlywed hefyd. Mae'n dy rybuddio fod y môr yn hawlio Cantre'r Gwaelod.'

'Y môr!' wfftiodd y brenin.

'O 'na fardd diflas yw hwn,' gwaeddodd llais o'r neuadd. 'Gadewch i ni glywed ein beirdd ni.'

'Feirdd!' galwodd y brenin ac ar unwaith tyrrodd y beirdd yn wên i gyd o gylch ei orsedd.

Rhedodd y bachgen o'r neuadd â'i wynt yn ei ddwrn. Hisiai cysgodion duon dros y sgwâr gan wlychu'i draed. Trodd i olwg y môr a gwelodd fflyd o longau'n crynu yn yr awyr fflamgoch uwchben teyrnas Gwyddno.

Gwaeddodd am Mererid, ond boddwyd ei lais gan ru fel taran enbyd yn ymledu dros y gorwel. Diflannodd y llongau. Fflachiodd gwreichion ola'r haul drwy wal fawr Cantre'r Gwaelod ac yna rhuthrodd düwch dros y tir, drwy ddrws a ffenest.

'Mae'r môr wedi dryllio'r wal!' llefodd y bachgen.

Wrth i'r tonnau ei godi a'i hyrddio am wddw ceffyl gwinau'r brenin Gwyddno, gwelodd am ennyd wynebau syn yn troi tuag ato yn neuadd Seithenyn. Yna rhusiodd y ceffyl yn ei fraw a dianc tua'r dwyrain tra neidiai'r tonnau yn eu blaenau i'r wledd.

Gwasgodd y bachgen ei wyneb oer yn erbyn mwng yr anifail. I'r gogledd, i'r gorllewin ac i'r de chwyrnellai'r môr. Teimlai lach y tonnau'n nesu ac yn cau amdano, ond dal i ruthro yn ei flaen heb oedi dim wnâi'r ceffyl gwinau. O dan ei garnau ymestynnai llwybr cul ewynnog fel saeth tuag at y lan.

Yn y bore deffrowyd y bachgen o'i drwmgwsg gan wylo
torcalonnus.

Yn ei ymyl ar y lan gorweddai'r Brenin Gwyddno ar ei orsedd
bren. O'u blaenau, cyn belled â'r gorwel, ymestynnai'r môr.

Rhedodd y bachgen ar ei union at y don lle gwelodd gregyn,
tywod aur a physgod.
    Doedd dim ar ôl o Gantre'r Gwaelod
    —dim ond cloch a ganai'n ddistaw dan y dŵr
    ac atsain pennill yn nychymyg bardd.

Cri Mererid sy'n fy llethu heno
Ac ni ddaw â llonder.
Wedi balchder fel arfer mae cwymp.

— gan fardd dienw
yn Llyfr Du Caerfyrddin

(h) testun: Siân Lewis
(h) lluniau: Jackie Morris

Argraffiad cyntaf: Tachwedd 1996

ISBN 1 85902 342 8

I Mam—Dilwen M. Evans— gyda diolch.

SL

Cyhoeddwyd y gyfrol hon gyda chymorth
Cyngor Celfyddydau Cymru.

Argraffwyd gan Wasg Gomer, Llandysul, Ceredigion.